TYRANNO
LE
TERRIBLE

Pour Daniel

Traduit de l'américain par Isabel Finkenstaedt

ISBN 978-2-211-02335-1
Première édition dans la collection *lutin poche* : janvier 1992
© 1989, Kaléidoscope, Paris, pour l'édition en langue française
© 1988, Hans Wilhelm
Titre original : «Tyrone the horrible» (Scholastic inc, New York)
Loi numéro 49 956 du 16 juillet 1949 sur les publications
Destinées à la jeunesse : mars 1989
Dépôt légal : avril 2015
Imprimé en France par Clerc à Saint-Amand-Montrond

HANS WILHELM

TYRANNO
LE
TERRIBLE

Kaléidoscope
lutin poche de l'école des loisirs
11, rue de Sèvres, Paris 6ᵉ

Igor était un petit dinosaure.
Il vivait avec sa mère et son père
dans une grande forêt marécageuse.

Il y avait beaucoup d'enfants dinosaures
qui habitaient dans le voisinage d'Igor.

Ils jouaient chaque jour ensemble,
et Igor s'entendait bien avec tous
– tous, sauf un…

Son nom était Tyranno, et on l'appelait
généralement Tyranno le terrible.
C'était un enfant lui aussi, mais il était
beaucoup plus grand et plus fort que la plupart
des autres gamins.
C'était une vraie brute. Pour tout dire,
il était la première brute du monde.

Tyranno aimait surtout s'en prendre à Igor.
Il le tapait, le taquinait et lui volait
toujours son goûter.

Igor essayait de ne jamais se trouver
sur le chemin de Tyranno, mais partout
où il allait, Tyranno l'attendait.

Igor avait chaque soir un peu plus de mal à s'endormir.
Il cherchait sans cesse un moyen pour éviter Tyranno.
Sa situation paraissait désespérée.

Les camarades d'Igor essayèrent de l'aider.
– Il faudrait que tu deviennes son copain,
suggéra Tricéro un jour.
– Plus facile à dire qu'à faire, répondit Igor.
Comment devenir copain avec quelqu'un qui m'a tapé
et taquiné toute ma vie ?
– Tu devrais lui offrir un cadeau pour lui prouver
que tu l'aimes bien, dit Tricéro.
Igor réfléchit un moment. Quel genre de cadeau
offrir à Tyranno ? Puis il repensa à la façon
dont Tyranno s'emparait toujours de ses goûters.
– Un cadeau pour Tyranno ? dit-il tout haut.
Ça vaut la peine d'essayer.

Cet après-midi-là, Igor alla trouver Tyranno.
— Tiens, dit-il de sa voix la plus amicale.
Il fait si chaud, j'ai pensé qu'une bonne glace
te ferait sûrement plaisir.
Tyranno regarda Igor un moment. Puis il eut
un sourire méchant.
— Une glace pour moi ? Comme c'est gentil !

Tyranno s'empara du cornet de glace et le renversa
sur la tête d'Igor.
– Ha, ha, ha ! s'esclaffa Tyranno en s'éloignant.
Igor entendit résonner le rire de Tyranno
pendant un long moment.

Le lendemain, Igor raconta à son ami Platea
ce qui s'était passé.
– Tu prends ça trop au sérieux, déclara Platea.
Quand cette grosse brute cherche à t'embêter,
fais comme si de rien n'était. Reste calme.
C'est le seul moyen.
– Rester calme quand j'ai peur ne va pas être
facile, dit Igor. Mais je veux bien essayer.

Quand, la fois suivante, Igor rencontra Tyranno.
il resta calme.
— Salut, tête de lézard ! hurla Tyranno en voyant
Igor passer. Et si tu me donnais mon sandwich ?
Igor n'y prêta aucune attention, et n'essaya
même pas de s'enfuir. Il continua de marcher.

– Je vois qu'une fois de plus, il va falloir
que je me serve, dit Tyranno.
Il piétina la queue d'Igor jusqu'à ce qu'Igor
lâche son sandwich.
Igor essaya de cacher ses larmes. Mais il avait très mal.

Quand les amis d'Igor apprirent ce qu'avait fait
Tyranno, ils devinrent furieux.
– L'heure est venue de le combattre ! déclara Stégo.
Tyranno t'embête depuis trop longtemps. Tu dois
l'affronter et lui montrer que tu es un dinosaure
toi aussi. Tu peux parfaitement le battre. Et puis
Tyranno n'est qu'un sale vantard.
Igor était en colère lui aussi.
–Tu as raison ! s'exclama-t-il. Peut-être que je devrais
me battre et mettre fin à ces stupidités
une fois pour toutes.
–Alors, dit Stégo, allons-y tout de suite.

Les quatre amis partirent à la recherche de Tyranno.

Igor se dressa de toute sa hauteur et affronta
Tyranno le terrible.

– Écoute, espèce de brute, dit-il. J'en ai assez
que tu me tyrannises. Viens donc te battre !
Tyranno jeta un regard sur Igor. Puis il fit
un sourire narquois et dit :

– D'accord, si c'est ce que tu veux.

Le combat fut très bref.
Petit Igor n'avait aucune chance contre son grand ennemi.
– Je suis désolé, dit Stégo. Ce n'était pas une très
bonne idée. Tu devrais abandonner. Il y a des brutes
contre lesquelles on ne peut rien. Il faut apprendre
à vivre avec, qu'on le veuille ou non.

Mais Igor ne voulait pas.

« Il doit quand même y avoir un moyen de battre
une brute », pensa-t-il.

Il y pensait encore quand la lune se leva
et que les étoiles remplirent le ciel. Tout à coup,
ses lèvres dessinèrent un immense sourire.

« J'ai trouvé ! » se dit-il.

Puis il se roula en boule et s'endormit aussitôt.

Le lendemain, Igor prit son goûter et s'enfonça
comme chaque jour dans la forêt marécageuse.
Il ne tarda pas à rencontrer Tyranno.
– Un autre goûter pour moi ? cria Tyranno.
J'espère qu'il est bon !
Sur ce, il s'empara du sandwich d'Igor et n'en fit
qu'une bouchée.
Igor continua son chemin en marchant aussi vite
que possible.
Soudain, il entendit un cri terrible.

– AAaaaaarghhhhhh !

C'était Tyranno. D'énormes flammes sortaient
de sa gueule.

– Au secours, je brûle ! cria-t-il. Je meurs !
Je suis empoisonné ! Au secours !
AU SECOURRS !

32

– N'importe quoi ! dit Igor en riant.
Ce n'est qu'un sandwich. Je ne te savais pas
aussi sensible. Il se trouve que j'aime
les sandwichs *double-épaisseur-aux-piments-
rouges-hyper-piquants*. Dommage que
tu ne les aimes pas.
Il se retourna et s'en alla, laissant Tyranno
à ses gémissements et à ses pleurs.

À partir de ce jour-là, Tyranno resta
aussi loin d'Igor que possible.
Quant à Igor, il s'amusait tous les jours
avec ses amis dans la forêt marécageuse,
et il n'eut plus jamais de mal à s'endormir la nuit.

Quand, bien des années plus tard,
les scientifiques découvrirent
Tyranno le terrible, il n'était plus
Tout à fait le même –
mais il avait toujours son sourire méchant.